Poryenil

FRAGMENTS ÉNIGMATIQUES

allégories de J.-C. Delafosse

XVIIIe siècle

DANS LA MÊME COLLECTION

COLLECTION DIRIGÉE PAR SYLVIE MESSINGER
CONCEPTION GRAPHIQUE ET DIRECTION ARTISTIQUE : DIDIER CHAPELOT
COORDINATION MUSÉE DES ARTS DÉCORATIFS : MARIE-NOËL DE GARY
PHOTOGRAPHIES : LAURENT-SULLY JAULMES, MUSÉE DES ARTS DÉCORATIFS
PHOTOGRAVURE : G.E.G.M. - COMPOSITION : L'UNION LINOTYPISTE
IMPRESSION : MAME, TOURS : MARS 1994
DÉPÔT LÉGAL : MARS 1994
ISBN : 2-7118-3040-3

FRAGMENTS ENIGMATIQUES

allégories de J.-C. Delafosse

MUSÉE DES ARTS DÉCORATIFS

INTRODUCTION

par Monique Mosser
Historienne de l'art
Ingénieur au C.N.R.S.

C'EST EN 1768 que parut la *Nouvelle Iconologie Historique, ou Attributs Hiéroglyphes qui ont pour objet les quatre Elémens, les quatre Saisons, les quatre parties du Monde & les différentes complexions de l'homme...* Ces mêmes attributs peignent aussi les diverses nations, leurs religions, les époques chronologiques de l'Histoire tant ancienne que moderne ; les Vertus, Gloires, renommées, les divers genres de poësies, les passions, les différents Gouvernements, les Arts et les Talens. Ces hiéroglyphes sont composés et arrangés de manière qu'ils peuvent servir à toutes sortes de décorations, puisqu'on est le maître de les appliquer également à des fontaines, frontispices, pyramides, cartouches, dessus de portes, Bordures, Médaillons, Trophées, Vases, Frises, Lutrins, Tombeaux, Pendules, etc... Dédiés aux artistes par Jean-Charles Delafosse, architecte, décorateur et professeur en desseins (sic). A Paris, chez l'Auteur, MDCCLXVIII ». Cette longue page de titre en forme de table des matières et de mode d'emploi doit être complétée par quelques lignes de l'*Avant-Propos*. Delafosse y explique clairement la genèse de son projet : « Lorsque j'entrepris cet ouvrage, mon premier dessin (sic) n'était que de rendre plus propre à la décoration en général l'*Iconologie* de Baudoin, qui s'était contenté de recueillir les Images Hiéroglyphiques employées par les Grecs et les Romains. Insensiblement mes vues s'augmentèrent et le projet que j'exécute aujourd'hui est d'une étendue bien plus considérable : me servant en partie du sens de ces mêmes images, j'ai fait en sorte de composer et d'appliquer mes emblèmes de façon qu'ils peuvent servir d'ornements Historiques et Allégoriques... Dans cet ouvrage, je présente à l'imagination tout ce qui s'est passé de plus mémorable depuis la création du monde jusqu'à présent, en suivant les époques principales de l'Histoire, tant sacrée que prophane (sic)... J'ai remonté jusqu'à l'origine de plusieurs choses, et j'ai tâché d'en donner une explication claire par un discours succinct et, rendant compte en même temps des répétitions indispensables de plusieurs emblèmes qui ont diverses significations ». Le propos est lumineux. La référence à Jean Baudoin, le traducteur de Cesare Ripa en français est clairement revendiquée. Tous les mots essentiels de la longue tradition de la « science des images » sont prononcés : hiéroglyphes, allégories, emblèmes. La volonté initiale d'appliquer le contenu d'un système signifiant (l'imagerie iconique) à un système formel abstrait (la décoration) s'inscrit, elle aussi, dans une certaine tradition. Cependant, l'entreprise de Delafosse, par son ampleur et plus encore par la complexité du dispositif qu'il invente, se révèle d'une grande originalité. Dans sa tentative de vouloir, en quelque sorte, représenter allégoriquement le monde, il prouve bien qu'il appartient à part entière à la constellation intellectuelle et artistique des Lumières, illustrant à sa manière cette tension constante vers une pensée globale.

Pour arriver à ses fins, Delafosse se livre à une expérimentation, sinon inédite, du moins infiniment complexe. Car il s'agit d'inventer un système formel résolument neuf qui puisse accueillir, selon des combinaisons infinies, des emblèmes plus ou moins traditionnels qu'il organise comme de grands rébus, pleins de fantaisie, tantôt obscurs, tantôt transparents. « Les discours succincts » dont il les accompagne, nous sont d'ailleurs fort utiles. Ainsi, à bien analyser les planches de

l'*Iconologie*, on découvre l'œuvre d'un étrange assembleur de formes, une sorte de jongleur polyglotte du langage iconique et l'on peut comprendre, dès lors, que la bizarrerie de ses « collages texte-image » ait troublé les historiens.

Ainsi, Geneviève Levallet, la première biographe de Jean-Charles Delafosse souligne le côté « quelque peu prétentieux » de son projet ainsi que « sa pédanterie » et déclare que : « nous aurions tort de nous attarder à la partie symbolique, dans laquelle Delafosse fait d'ailleurs preuve d'une certaine originalité et ne suit pas aveuglément Baudoin ; ce qui nous retient c'est la partie décorative... Nous négligeons les emblèmes, parfois un peu extravagants, pour nous arrêter, soit aux encadrements qui les entourent, soit aux supports sur lesquels ils sont disposés ». On comprend pourquoi, alors même qu'on le redécouvrait, Delafosse était victime d'une forme de malentendu. De fait, il est principalement considéré comme l'un des plus grands ornemanistes de la seconde moitié du XVIIIe siècle, l'un des plus éminents représentant du « goût à la Grecque » et du « Style Louis XVI » et l'*Iconologie* comme un pur et simple catalogue de meubles et d'objets. Le seul qui ait analysé la place spécifique de Delafosse dans les arts de son temps est Emil Kaufmann dans *L'Architecture au Siècle des Lumières*. Il relève le fait qu'il se présente d'abord comme un architecte, puis comme décorateur. Rejetant les vieilles hiérarchies, l'historien autrichien insiste sur l'idée selon laquelle « il est inutile de distinguer entre les arts majeurs et les arts mineurs : les aspirations stylistiques d'une époque apparaissant dans ses dessins décoratifs tout aussi clairement que dans ses édifices ». Si E. Kaufmann fait preuve d'un réel discernement lorsqu'il reconnait que « Delafosse se souciait peu d'inventer des objets destinés à un usage pratique » et surtout s'il donne une analyse plus que pertinente des ses buts artistiques (la géométrisation et la monumentalisation des formes), il continue néammoins à ignorer le contenu iconologique de son grand ouvrage.

C'est par une connaissance plus approfondie de l'ensemble de l'œuvre de Jean-Charles Delafosse et surtout de ses très nombreux dessins disséminés dans la plupart des grandes collections graphiques du monde que l'on peut tenter un total retournement dans la perception de sa démarche créatrice. Il semble que l'artiste soit essentiellement hanté par le problème du sens et de l'expression. Dans le registre de « l'architecture parlante », Delafosse mérite de figurer aux cotés de Boullée et de Ledoux. La découverte d'une série de projets pour des monuments imaginaires, faite à l'occasion de l'exposition

Piranèse et les Français, démontre qu'il se situe au niveau des grands « visionnaires » de ces temps pré-révolutionnaires. Plus encore, ses paysages inventés avec ses accumulations de ruines, pleines de présences menaçantes, en font l'alter ego d'un de ses plus excentriques contemporains, lui aussi professeur de dessin, l'architecte Jean-Laurent Legeay, avec lequel il partage l'obsession des tombeaux. A cet égard, il est intéresssant de citer l'un des rares témoignages que l'on possède sur lui, une critique publiée en 1787 dans *Le Journal de Guienne* : « M. Lafosse n'a que deux dessins au Sallon (de Bordeaux) mais ils annoncent un grand talent, sa touche est large et vigoureuse, ses compositions sont pleines de verve et de feu. Son imagination pourrait être comparée à Milton en poésie, il est plus peintre qu'Architecte ».

C'est plus à travers ses œuvres que par les minces renseignements que nous livre sa biographie que l'on peut esquisser le portrait de Delafosse. On devine un homme à l'imagination fiévreuse, hanté par la mort, sensible à l'extrême aux injustices du temps comme le prouvent ses terribles charges allégoriques contre le pouvoir, la religion ou encore les magistrats de cette fin d'Ancien Régime. Ses convictions expliquent sans doute son engagement dans la garde nationale au début de la Révolution. L'un de ses plus importants dessins, étrangement impressionnant, semble rassembler les thèmes favoris de Delafosse. Il s'agit sans doute d'une illustration ou d'un frontispice pour *Les Nuits* du poète anglais Edward Young (1742-1745), œuvre qui connut un immense succès dans l'Europe entière. On y voit le poète, accoudé à un tombeau, qui contemple un sablier dans un décor cahotique de ruines dominé par un sphinx et plein d'ossements, de serpents, de vapeurs délétères. On peut rappeler que c'est dans le *Salon* de 1767, l'année précédant la parution de l'*Iconologie*, que Diderot avait lancé son célèbre mot d'ordre : « Soyez ténébreux... La clarté est bonne pour convaincre ; elle ne vaut rien pour émouvoir... Poètes, parlez sans cesse d'éternité, d'infini, d'immensité, du temps, de l'espace, de la divinité, des tombeaux, des mânes, des enfers, d'un ciel obscur, des mers profondes, des forêts obscures, du tonnerre, des éclairs qui déchirent la nue ». De fait, des châteaux de Sade aux nécropoles de Boullée, des Prisons de Piranèse à la chimère de Desprez, on n'en finit pas de parcourir à tâtons les détours, les labyrinthes, tous les méandres inventés par les « cerveaux noirs » de ce temps et d'y découvrir les monstres qui s'y tapissent. Baldine Saint Girons a bien montré que l'apologie généralisée de l'ombre, du noir, de la mélancolie, en un mot des « anti-Lumières » est l'une des composantes les plus fortes de l'esthétique dominante et Burke fait de l'obscurité l'emblème absolu du Sublime.

A bien la considérer, toute l'œuvre de Delafosse baigne dans cette même pénombre et, étrangement, l'inquiètude qui sourd de ses paysages et de ses architectures imaginaires se communique à des registres de la création dont on pouvait penser qu'ils étaient restés jusqu'alors indemnes de toute émotion. C'est le cas pour toute une série de figures allégoriques, conservée au Cabinet des dessins du Musée des Arts décoratifs à Paris.

Ces trente-six dessins provenant de la collection David-Weill posent une série de problèmes qui restent à résoudre. Delafosse a-t-il eu le projet de publier une « autre » Iconologie, plus traditionnelle cette fois puisqu'elle met simplement en scène des figures allégoriques ? Si c'est le cas, ce projet a-t-il précédé ou suivi l'*Iconologie* de 1768 ? Cet ensemble d'images est évidemment incomplet : ainsi il ne comprend que deux Tempéraments et deux Continents. S'agit-il seulement d'une partie d'un travail inachevé ou des traces d'un ensemble plus vaste perdu ou dispersé ?

Une autre piste s'ouvre. Les travaux de restauration exécutés à l'occasion de cette publication ont montré que les dessins avaient été plusieurs fois collés sur divers supports, puis redécoupés ; enfin on constate une certaine « usure » qui prouve qu'ils ont été souvent manipulés. Si l'on se rappelle que Delafosse était « professeur de dessin à l'Académie de Saint-Luc », on peut se demander si ces « images » n'appartenaient pas au « matériel pédagogique » de son atelier.

Quoiqu'il en soit, la beauté et aussi l'invention de certaines de ces allégories démontrent définitivement l'attachement de l'artiste pour les « hiéroglyphes », c'est à dire pour un système de représentation qui a traversé les siècles, et ce, tout en se réactivant périodiquement.

Le Prothée
ou l'homme de Cour

Comme le rappelle J.-P. Guillerm, « L'iconologie introduit à une systématisation ambiguë dans laquelle tout ce qui s'énonce peut figurer visiblement mais où aussi la mesure du visible esthétique est bien le conceptuel abstrait ». Ce qui reste fascinant dans l'entreprise iconologique, c'est la manière dont elle s'organise autour de la figure humaine, inépuisable médiatrice entre l'idée et la forme où vient s'accomplir « le nœud de l'agrément visuel et de la signification ».

On ne peut qu'évoquer brièvement ici l'importance fondatrice de l'*Iconologia* de Cesare Ripa, publiée pour la première fois à Rome en 1593 (et en 1603 pour l'édition illustrée), sans cesse rééditée, complétée, traduite ou adaptée à travers toute l'Europe jusqu'au XIXᵉ siècle. En France, Jean Baudoin publia son *Recueil d'Emblèmes divers. Avec des discours moraux, philosophiques, et politiques, Tirez de Divers Autheurs Anciens et Modernes* (surtout Ripa), pour la première fois en 1636. Une dizaine de rééditions s'échelonneront jusqu'en 1698. Emile Mâle, suivi de nombreux historiens, a amplement démontré l'importance de ce livre (et de son modèle italien) pour le développement de l'art classique français, depuis les grands décors peints des palais et des églises jusqu'aux jardins de Versailles. En revanche, on s'est peu intéressé à l'impressionnant retour de l'iconologie à partir du XVIIIᵉ dans toute l'Europe, sinon pour le réduire à une attitude « ludique » ou purement décorative, dans tous les cas « vide de sens ». Or le néo-classicisme puise une partie de ses origines, à la fois théoriques et formelles, dans la grande tradition iconologique. On retourne à Ripa qui fait l'objet de nouvelles éditions illustrées par des artistes modernes (Boudard à Parme en 1759, Orlandi à Pérouge en 1764, Richardson à Londres en 1778). Les *Manuels* à l'usage des artistes et autres *Almanachs Iconologiques* déversent des flots d'images. Enfin, c'est en 1766 que Winckelmann fait paraître à Dresde son livre : *Versuch einer Allegorie besonders für die kunst* (traduit en français en 1795). Dans un bel article sur *La Raison et l'allégorie au XVIIIᵉ siècle*, Sylvain Menant s'interroge ; « L'allégorie est-elle donc le dernier mot de la pensée, de la littérature et de l'art des Lumières ? Bien des signes incitent à le croire ». Les philosophes, les poètes, les peintres du Salon, tous la célèbrent à leur manière, de Voltaire à Jean-Baptiste Rousseau, de Greuze à Condillac, parce qu'ils devinent toutes ses potentialités. L'allégorie est moderne dans la mesure où elle propose une sorte de renouvellement philosophique de la vieille mythologie gréco-latine.

Et tel est le message que nous livrent les figures allégoriques de Delafosse. Il est impossible d'en faire ici l'exégèse complète ou d'analyser ces images de femmes ou d'hommes, séduisantes dans leur élégance presque maniériste le *Hasard*, la *Fortune* ou inquiétantes dans leur véhémence la *Guerre*, la *Discorde*. Cependant, il faut évoquer la manière dont le dessinateur, à partir d'un vocabulaire strictement codifié (on a parfois l'impression qu'il se réfère directement à Ripa plutôt qu'à Baudoin) s'accorde une plus ou moins grande marge de liberté et aboutit finalement à d'extraordinaires inventions. On croit que ses Vertus et ses Vices sont respectueux de la tradition, soudain il ajoute un détail et la figure prend une toute autre dimension. L'*Orgueil* ne porte plus seulement le paon emblématique, mais elle tient aussi une fusée de feu d'artifice ! Tout un cortège de serpents accompagne souvent les figures des Vices, quand Delafosse n'imagine pas d'étranges êtres hybrides, mi-femme mi-bête la *Coquette*. Il emprunte à d'autres traditions comme pour l'*Astrologie*, qui n'a rien à voir avec la femme ailée couronnée d'étoiles de Ripa/Baudoin, mais qui est une très libre interprétation du «corps astrologique» qu'il transforme d'ailleurs en hermaphrodite. Puis il y a toutes les figures qui relèvent de la pure invention où se manifestent le plus évidemment «la verve et le feu» d'une imagination en proie à des fantasmes très personnels. Parfois l'allégorie fleurte avec d'autres tyes de figures symboliques comme ces «habits de métiers» illustrés entre autre par le célèbre Larmessin l'*Astrologie*. Mais le plus passionnant, c'est la manière dont Delafosse «récupère» ou «détourne» le système allégorique à des fins idéologiques et politiques. L'*Hypocrisie* et l'*Erreur*, sous son pinceau, deviennent des charges violentes contre la religion. Ses plus fortes images sont totalement «inédites», véritablement «modernes» et, qui plus est, toutes appartiennent au registre de la dénonciation sociale et politique ; ce qui suggère que l'ensemble de ces allégories dateraient des dernières années précédant la Révolution. C'est le cas de « l'Antique financier » et du « Protée ou l'Homme de Cour ». L'allégorie tourne alors à la caricature sans rien perdre de sa valeur universelle. Dans la grande tradition de l'allégorie qui « masque et révèle à la fois » certaines images ne disent pas leur nom et ce sont peut-être les plus impressionnantes tel cet ogre guerrier dont le sexe-dragon vomit venin et flammes ou encore cette sorte de Médée hurlante couronnée de petites figures d'épouvante qui conservent encore aujourd'hui toute leur force de dénonciation de la violence guerrière.

Si l'allégorie, au XVIIIe siècle, est souvent une forme de lucidité, elle acquiert chez Delafosse une force symbolique, une dimension proprement visionnaire, pas très éloignées de certaines gravures de Goya ou des illustrations de Blake.

BIBLIOGRAPHIE

Ouvrages généraux :

Emil Kaufmann, *L'Architecture au siècle des lumières*, Paris 1963 ;
(éd. originale en angl., Harvard, 1955).
Svend Eriksen, *Early Neo-Classicism in France*, Faber and Faber,
Londres, 1974.
Jean Deprun, *La Philosophie de l'Inquiétude en France au XVIIIe siècle*,
Vrin, Paris, 1979.
Baldine de Saint Girons, *Fiat Lux. Une Philosophie du Sublime*,
Quai Voltaire, Paris, 1993.

Ouvrages sur Jean-Charles Delafosse :

Style Louis XVI. *L'Œuvre de Delafosse... A l'usage des architectes,
dessinateurs...*, Armand Guérinet Ed., Librairie d'Architecture et d'Art
décoratif, Paris, s.d. Une partie de nos allégories y est reproduite.
Geneviève Levallet, « L'Ornemaniste Jean-Charles Delafosse », *Gazette des
Beaux Arts*, 1929, p. 158-169.
Michel Gallet, « Jean-Charles Delafosse Architecte », *Gazette des Beaux Arts*,
1963, p. 157-164.
Cat. de l'exposition *Piranèse et les Français*, Rome-Dijon-Paris, 1976,
p. 103-113.
B. Reudenbach, *G.B. Piranesi-Architektur als bilds. der Wandel der
Architekturaussassung des achtzenten jahrhunderts*, Munich, 1979.
Monique Mosser, « Trois colonnes hiéroglyphiques de J.C. Delafosse », *Revue
de l'Art*, n° 73/1986, p. 65-66.

PLANCHES

Prudence

17

Concorde.

Verba

Comerce

harmonie

21

maiesté souveraine

22

Noblesse

23

La Justice

27

28

hazard

Fourberie

33

Le flegmatique

Le Mélancolique

DIEV

38

39

41

42

LÉGENDES

Provenance : les dessins sont entrés au musée par une importante donation de D. David-Weill en 1919, qui comprenait près de deux cents dessins de J.-C. Delafosse : architecture, mobilier, trophées, etc. *Inv. 21550 à 21622*, complétée de deux autres dessins en 1921, *Inv. 22351 et 22352*.

Technique : la technique de tous les dessins est identique : plume et encre noire et aquarelle.

Annotations : sauf indication contraire, la désignation des allégories reprend les annotations portées au recto ou au verso du dessin par J.C. Delafosse lui même.

Couvertures et gardes : L'ORGUEIL, annotation au crayon en haut à droite. Au verso, au crayon : « 29 ». *H.18,7 cm ; L. 11,9 cm. Inv. 21606 D.*
L'USURE, annotation au crayon en haut à droite, reprise au verso à la plume. *H. 17,9 cm ; L. 11,1 cm. Inv. 21620 H.*

page 5 : Figure non identifiée, semble corespondre à la Vérité. *H.18,8 cm. ; L.12,3 cm. Inv. 21569*

page 7 : L'AFRIQUE ET L'AMÉRIQUE, annotation au crayon, en bas, sur papier séparé. *H. 20,4 cm. ; L. 17,6 cm. Inv. 22351 A et B.*

page 11 : LE PROTHÉE (sic) OU L'HOMME DE COUR, annotation en bas sur papier séparé. Au verso : fragment de plan d'architecture et « 23 » au crayon. *H. 18 cm. ; L. 9 cm. Inv. 21620 E.*

page 17 : PRUDENCE, annotation au crayon en haut à gauche. *H. 19,2 cm ; L. 11,6 cm. Inv. 21619 F*

page 18 : CONCORDE, annotation à l'encre en bas sur papier rapporté. Au verso : Bonne renomé (sic), à l'encre en bas sur papier rapporté et « 34 » au crayon. *H. 20,2 cm ; L. 9,9 cm. Inv. 21572 A*

page 19 : VERTU, annotation au crayon en haut à droite. *H. 19,4 cm ; L. 10,5 cm. Inv. 21575 B.*

page 20 : COMMERCE, annotation à l'encre en bas, sur papier rapporté. Au verso : « Usure » à l'encre en bas sur papier rapporté et « 36 » au crayon. *H. 20 cm. ; L. 11,1 cm. Inv. 21572 B*

page 21 : L'HARMONIE, annotation au crayon en haut à gauche reprise au verso à l'encre au centre et « 39 » au crayon. *H. 18,4 cm ; L. 10,4 cm. Inv. 21575 A.*

page 22 : MAJESTÉ SOUVERAINE, annotation au crayon en haut à gauche. Au verso : « 38 » au crayon. *H. 18,9 cm ; L. 12,1 cm. Inv. 21571 B.*

page 23 : NOBLESSE, annotation au crayon en haut à gauche. Au verso : « 37 » au crayon. *H. 18,9 cm ; L. 12,1 cm. Inv. 21571 A*

page 24 : ARISTOCRATIE, annotation au crayon en haut à droite.
H. 18,6 cm ; L. 11,4 cm. Inv. 21574 B.

page 25 : ZELE PATRIOTIQUE, annotation au verso et « 43 » au crayon.
H. 18,4 cm ; L. 10,9 cm. Inv. 21567.

page 26 : LA JUSTICE, annotation au crayon en haut à gauche reprise au verso à l'encre. *H. 19 cm ; L. 11,4 cm. Inv. 21573. A.*

page 27 : JUSTICE RIGOUREUSE, annotation au crayon en haut à gauche.
H. 19 cm ; L. 11,6 cm. Inv. 21576 A.

page 28 : FORTUNE, annotation à l'encre au verso et « 31 » au crayon.
H. 18,9 cm ; L. 11,5 cm. Inv. 21606 A.

page 29 : HASARD, annotation au crayon en haut à droite. Au verso : « le hasard » à la plume et « 30 » au crayon. *H. 18,9 cm ; L. 11,4 cm. Inv. 21619 B.*

page 30 : MÉFIANCE ET CALOMNIE, annotation au crayon en haut à gauche.
H.18,3 cm ; L.11,3 cm. Inv. 21574 A.

page 31 : COQUETTE, annotation au crayon en haut à gauche. Au verso :
« la coquette » à l'encre et « 46 » au crayon *H. 18,4 cm ; L. 8,9 cm. Inv. 21606 B.*

page 32 : FOURBERIE, annotation au crayon en haut à gauche.
H. 19 cm ; L. 12,6 cm. Inv. 21619 D.

page 33 : FUREUR, annotation au crayon en haut à gauche.
Au verso : « la fureur » à l'encre. *H. 17,8 cm ; L. 11,5 cm. Inv. 21619 E.*

page 34 : DISCORDE, annotation au crayon en haut à gauche.
H. 18,4 cm ; L. 10,6 cm. Inv. 21619 A.

page 35 : L'USURE, annotation au crayon reprise au verso à la plume.
H. 17,9 cm ; L. 11,1 cm. Inv. 21620 H.

page 36 : LE FLEGMATIQUE, annotation à l'encre en haut à gauche.
H. 18,2 cm ; L. 9,7 cm. Inv. 21566.

page 37 : LE MÉLANCOLIQUE, annotation à l'encre en bas sur papier rapporté. Au verso : « 60 » au crayon. *H. 19,9 cm ; L. 9,4 cm. Inv. 21565.*

page 38 : HYPOCRISIE, annotation au crayon. Au verso : « 14 » au crayon.
H. 18,5 cm ; L. 12 cm. Inv. 21620 G.

page 39 : L'ERREUR, annotation au crayon en haut à droite.
H. 18,3 cm ; L. 11,9 cm. Inv. 21620 F.

page 40 : Figure non identifiée correspond à l'Astrologie. Annoté au verso :
« 26 » au crayon. *H. 19,8 cm ; L. 7,9 cm. Inv. 21620 A.*

page 41 : Figure non identifiée correspond à l' Alchimie. Au verso, en bas, annotation à la plume : « ...corse revenant de la fontaine » et « 22 » au crayon.
H. 19,4 cm ; L. 8,3 cm. Inv. 21620 D.

page 42 : Figure non identifiée, attribution plausible : la Guerre Civile.
Au verso, annotation : « 18 » au crayon. *H. 18,3 cm ; L. 13,6 cm. Inv. 21620 B.*

page 43 : Figure non identifiée, attribution plausible : la Guerre. Au verso, fragment de plan d'architecture et annotation « 42 ».au crayon. *H. 18,8 cm ; L. 12,1 cm. Inv. 21576 B.*

page 44 : LE FAUX AMI, annotation au verso à la plume et « 17 » au crayon. *H. 18,4 cm ; L. 10,4 cm. Inv. 21620 C.*

page 45 : L'ANTIQUE FINANCIER, annotation au crayon en haut à droite reprise au verso à la plume. *H. 18,4 cm ; L. 8,2 cm. Inv. 21604 B.*

BRÈVES RÉFERENCES SUR L'ICONOGRAPHIE :

On a consulté plusieurs éditions de Cesare Ripa et de Jean Baudoin, pour cette question des éditions *cf.* : Mario Praz, *Studies in seventeenth-century imagery*, 2ᵉ éd. en 2 vol., Edizioni di storia e letteratura, Roma, 1974.
Jean Baudoin, *Iconologie...*, réed. de l'éd. de 1643, avec une préface de J.P. Guillerm, Aux Amateurs de livres, Lille, 1989.
Jean-Charles Delafosse, *Nouvelle Iconologie historique, ou Attributs hiéroglyphiques...*, Paris, 1768.
De L'Allégorie, ou Traités sur cette matière par Winckelmann, Addison et Sulzer, traduit par Jansen, Paris, 1795, 2 vol.
Emile Mâle, *L'Art religieux après le Concile de Trente. Etude sur l'iconographie de la fin du XVIᵉ siècle, du XVIIᵉ, du XVIIIᵉ siècle*, Armand Colin, Paris, 1932.
Erna Mandowsky, « Ricerche intorno all'Iconologia di Cesare Ripa », *La Bibliofilia*, XLI, 1939, n° I, p. 7-27, n° II, p. 111-124, n° III, p. 204-235, n° IV, p. 279-327.
Erwin Panofsky, *Essais d'iconologie. Les thèmes humanistes dans l'art de la Renaissance*, trad. franç., Gallimard, Paris, 1967 ; (ed. originale en angl., 1939).
Cat. de l'exposition *L'Allégorie dans la peinture. La représentation de la charité au XVIIᵉ siècle*, Musée de Caen, 1986.
Sylvain Menant, « La Raison et l'allégorie au XVIIIᵉ siècle », *Corps Ecrit*, n° 18 : *L'Allégorie*, juin 1986, p. 89-95.
W.J.T. Mitchell, *Iconology. Image, Text, Ideology*, The University of Chicago press, Chicago, 1986.
Christian Michel, *Charles-Nicolas Cochin et le livre illustré au XVIIIᵉ siècle*, Droz, Genève, 1987.

L'usure